Ce livre appartient à

Peau-d'Âne

D'APRÈS

Ch. Perrault

ILLUSTRATIONS

Ginette Hoffmann

Mango

© 1995 Éditions Mango
Dépôt légal : janvier 1995
ISBN : 2 7404 0458-1
Impression Publiphotoffset - 93500 Pantin

Peau-d'Âne

Il était une fois un roi aimé et respecté de tous, qui passait pour le plus heureux des monarques. Son bonheur avait été augmenté par son union avec une princesse aussi belle que vertueuse et par la naissance d'une fille douée de tous les charmes et de toutes les grâces.

La magnificence régnait dans son palais ; les ministres étaient sages ; les courtisans, vertueux ; les domestiques, fidèles ; les écuries, remplies des plus beaux chevaux du monde. Mais ce qui étonnait dans ces belles écuries, c'est que, au lieu le plus apparent, un âne étalait ses longues oreilles.

Ce n'était pas par fantaisie que le roi lui avait donné cette place distinguée : la litière de ce rare animal, au lieu d'être malpropre, était couverte tous les matins de louis d'or de toute espèce.

Or, comme toujours les biens sont mêlés de quelques maux, la reine fut tout à coup frappée d'une âpre maladie, pour laquelle on ne put trouver aucun secours.

La reine, sentant sa dernière heure approcher, fit promettre à son époux désolé que, s'il se remariait, ce serait avec une princesse plus belle qu'elle-même.

Enfin elle mourut. Jamais mari ne fit tant de vacarme : sangloter jour et nuit fut son unique occupation.

Bientôt, les grands de
l'État vinrent demander
au roi de se remarier.
Cette proposition lui fit
répandre de nouvelles
larmes. Il allégua
le serment qu'il avait
fait à la reine, défiant
ses conseillers de trouver
une princesse plus belle
que feu sa femme.

Mais le conseil traita de babiole une telle
promesse et dit que, n'ayant point de prince de
son nom, les peuples voisins pouvaient susciter
des guerres qui ruineraient le royaume.

Le roi, sensible à ces considérations, promit
qu'il songerait à les contenter. Il chercha,
parmi les princesses, celle qui pourrait
lui convenir. Chaque jour, on lui portait
des portraits charmants : mais il ne se décidait
point.

Malheureusement, l'infante sa fille était non seulement belle à ravir, mais elle surpassait de beaucoup la reine sa mère. Sa jeunesse enflamma le roi d'un feu si violent qu'il résolut de l'épouser puisqu'elle seule pouvait le dégager de son serment.

La jeune princesse se jeta aux pieds du roi et le conjura de ne pas la contraindre à commettre un tel crime. Mais le roi fit ordonner à l'infante de se préparer à lui obéir.

La jeune princesse, atteinte d'une vive douleur, alla trouver la fée des Lilas, sa marraine. La fée, qui aimait l'infante, lui dit que rien ne lui pouvait nuire si elle exécutait fidèlement ce qu'elle allait lui prescrire.

— Ma chère enfant, lui dit-elle, dites à votre père qu'il vous faut une robe de la couleur du temps. Jamais, il ne pourra y parvenir.

La princesse remercia bien sa marraine et, dès le lendemain matin, elle dit au roi son père que l'on ne tirerait rien d'elle avant qu'elle n'eût la robe couleur du temps.

Le roi rassembla les plus fameux ouvriers et leur commanda cette robe. Dès le second jour, ils apportèrent la robe tant désirée.

L'infante, au désespoir, eut de nouveau recours à sa marraine, qui lui dit de demander une robe de la couleur de la lune.

Le roi, fit appeler ses plus habiles ouvriers, et leur commanda si expressément une robe couleur de la lune que, entre ordonner et l'apporter, il n'y eut pas vingt-quatre heures.

La fée des Lilas, qui savait tout, vint au secours de l'affligée princesse et lui dit :

— Ou je me trompe fort, ou je crois que, si vous demandez une robe couleur du soleil, nous viendrons à bout de dégoûter le roi. L'infante demanda la robe, et le roi donna sans regret tous les diamants de sa couronne pour aider à ce superbe ouvrage, avec ordre de rendre cette robe égale au soleil. Aussi, dès qu'elle parut, tous ceux qui la virent furent obligés de fermer les yeux, tant ils furent éblouis. Jamais on n'avait rien vu de si beau.

L'infante était confondue. Et, sous prétexte
d'en avoir mal aux yeux, elle se retira dans
sa chambre, où la fée l'attendait.

— Il vous reste une dernière ressource,
dit-elle à l'infante. Exigez la peau de cet âne
qui fournit à toutes ses dépenses avec tant
de profusion.

L'infante, qui pensait que son père ne
pourrait jamais se résoudre à sacrifier son âne,
vint le trouver et lui exposa son désir.

Le lendemain, l'âne fut sacrifié, et la peau
apportée à l'infante, qui s'allait désespérer,
lorsque sa marraine accourut.

— Ma fille, enveloppez-vous
de cette peau, sortez de
ce palais et allez tant que terre
vous pourra porter. Voici
ma baguette : il vous suffira
de frapper la terre pour en
faire sortir vos costumes.
Mais hâtez-vous de partir.

L'infante embrassa sa marraine, s'affubla de la vilaine peau et sortit du palais sans être reconnue.

L'absence de la princesse causa une grande rumeur. Le roi, inconsolable, envoya plus de mille mousquetaires pour aller à la quête de sa fille. Mais la fée la rendait invisible aux plus habiles recherches.

Pendant ce temps, l'infante cheminait. Elle alla bien loin et chercha partout une place mais on la trouvait si crasseuse que personne n'en voulait.

Cependant, elle aperçut une métairie dont la fermière avait besoin d'une souillon pour garder les dindons et les cochons. Voyant cette voyageuse si malpropre, elle lui proposa d'entrer chez elle ; ce que l'infante accepta, tant elle était lasse.

Elle était si soigneuse de remplir ses devoirs, que, bientôt, la fermière la prit sous sa protection.

Un jour qu'elle était assise
près d'une claire fontaine,
elle s'y mira : l'effroyable
peau d'âne l'épouvanta.
Honteuse, elle se
décrassa le visage et
les mains. Mais il fallut
remettre son indigne
peau pour retourner
à la métairie.

Heureusement, le lendemain
était un jour de fête. Ainsi, elle eut le loisir de
mettre sa belle robe couleur du temps. La belle
princesse se mira et s'admira elle-même,
si bien qu'elle résolut, pour se désennuyer,
de mettre tour à tour ses belles robes les jours
de fête et les dimanches.

Un jour de fête que Peau-d'Âne avait mis
la robe couleur du soleil, le fils du roi, à qui
cette ferme appartenait, vint y descendre
pour se reposer.

Ce prince était jeune, beau et adoré
des peuples. On lui offrit une collation,
puis il se mit à parcourir les basses-cours.

Il entra dans une sombre allée, au bout
de laquelle il vit une porte fermée. La curiosité
lui fit mettre l'œil à la serrure. Il aperçut
la princesse, si belle et si richement vêtue,
qu'à son air noble il la prit pour une déesse.
Il sortit avec peine de cette petite allée et
demanda qui demeurait dans cette chambre.
On lui dit que c'était une souillon que l'on
nommait Peau-d'Âne, et
qu'elle était si crasseuse que
personne ne la regardait.

Le prince, peu satisfait de cet éclaircissement,
revint au palais de son père ayant devant
les yeux la belle image qu'il avait vue par
la serrure. Il se repentit de n'avoir pas heurté à
la porte et se promit bien de n'y pas manquer
une autre fois.

Mais l'ardeur de son amour lui donna
une fièvre si terrible que bientôt il fut réduit
à l'extrémité. La reine, sa mère, se désespérait.
Elle promettait en vain les plus grandes
récompenses aux médecins, mais rien
ne guérissait le prince.

La reine le conjura de dire la cause de son mal, en promettant de combler tous ses désirs.

— Eh bien, Madame, dit-il, je désire que Peau-d'Âne me fasse un gâteau.

Si étrange que parût cette demande, la reine s'empressa d'y accéder. On courut à la métairie, et l'on ordonna à Peau-d'Âne de faire de son mieux un gâteau pour le prince.

Peau-d'Âne s'enferma dans sa chambrette, jeta sa vilaine peau, se lava, se coiffa, mit un beau corset d'argent et fit le gâteau tant désiré.

En travaillant, une bague qu'elle avait au doigt tomba dans la pâte. Dès que le gâteau fut cuit, on le porta au palais.

Le prince le prit avidement et le mangea avec une telle vivacité qu'il faillit s'étrangler avec la bague qu'il trouva dans un des morceaux du gâteau. Mais il la retira adroitement de sa bouche. C'était une émeraude montée sur un jonc d'or, qu'il jugea ne pouvoir servir qu'au plus joli petit doigt du monde.

Il baisa mille fois cette bague, la mit sous son chevet, et l'en tirait à tout moment quand il croyait n'être vu de personne. Son tourment fut tel que la fièvre le reprit fortement.

— Mon fils, s'écria
le monarque affligé,
nomme-nous celle que
tu veux : nous jurons
que nous te la donnerons.

— Mon père, dit le prince, j'épouserai celle à
qui cette bague ira, quelle qu'elle soit.

Le roi et la reine prirent la bague,
l'examinèrent et jugèrent que cette bague ne
pouvait aller qu'à quelque fille de bonne
maison. Alors le roi sortit fit crier par ses
hérauts que l'on vienne au palais essayer
une bague, et que celle à qui elle irait juste
épouserait l'héritier du trône.

Les princesses d'abord arrivèrent, puis les duchesses, les marquises, les baronnes ; aucune ne put mettre la bague. Il fallut en venir aux grisettes, qui avaient toutes le doigt trop gros. Enfin, on en vint aux filles de chambre : elles ne réussirent pas mieux. Il n'y avait plus personne qui n'eût essayé cette bague sans succès, lorsque le prince demanda :

— A-t-on fait venir cette Peau-d'Âne qui m'a fait un gâteau ces jours derniers ?

Chacun se prit à rire, et on lui dit que non, tant elle était sale.

— Qu'on aille la chercher, dit le roi.

On courut, en se moquant, chercher la dindonnière.

Depuis qu'elle avait su qu'on cherchait un doigt propre à mettre sa bague, un espoir secret l'avait portée à se coiffer et à se vêtir d'argent. Sitôt qu'elle entendit qu'on heurtait à la porte, elle remit sa peau d'âne.

Sous les moqueries, elle fut menée chez le prince, qui lui-même, n'osa croire que ce fût celle qu'il avait vue.

— Est-ce vous qui logez dans la troisième basse-cour de la métairie ? demanda-t-il.

— Oui, seigneur, répondit-elle.

— Montrez-moi votre main, dit-il en tremblant.

Dame ! Qui fut bien surpris ? Ce furent le roi et la reine, ainsi que tous les chambellans et les grands de la Cour, lorsque de dessous cette peau crasseuse sortit une petite main délicate et blanche, où la bague s'ajusta sans peine. Et, la peau étant tombée, l'infante parut d'une beauté si ravissante que le prince tomba à ses genoux.

L'impatience du prince pour épouser la princesse fut telle qu'à peine donna-t-il le temps de faire les préparatifs. Il vint des rois de tous les pays, mais le plus magnifique fut le père de l'infante qui, heureusement, avait oublié son amour et avait épousé une veuve fort belle. Les fêtes de cet illustre mariage durèrent près de trois mois. Mais l'amour de ces deux époux durerait encore, s'ils n'étaient pas morts cent ans après.